Une disparition mystérieuse

Theresa Marrama

Cover art by digitalhandart

Interior art by digitalhandart

Book cover graphic edits by Formenis

ISBN: 978-1-7339578-0-9
ISBN-13: 978-1-7339578-0-9

Dedication

This book is dedicated to everyone out there who helps to pass on stories from generation to generation. You are the ones that help keep legends alive. Legends should never be discarded or treated as unimportant. Keep sharing your stories and keep allowing others the chance to believe!

Table des matières

ACKNOWLEDGMENTS

I would like to thank Françoise Goodrow for taking the time to read over and edit this story and for providing feedback and encouragement along the way! Richelle Efland, thank you for always being so kind and offering a second set of eyes. I am so thankful we have connected! Also, a big thank you to Cécile Lainé for taking the time to edit, format and provide feedback! Jennifer Degenhardt, thank you for all the time you dedicated to helping me and for providing such useful advice along the way! You are an inspiration!

It is so great to have colleagues and friends willing to share their time and energy to help others. Without all of your help I couldn't have published this story! Merci mille fois!

Prologue

Sa meilleure amie n'est plus là... Où est-elle ? C'est une question que tout le monde à la Nouvelle Orléans s'est posée la semaine dernière .

Maintenant Alice est seule, mais la disparition de sa meilleure amie la hante toutes les nuits. C'est un rêve horrible, un cauchemar qui se répète jour après jour…

Chapitre 1

Devant son casier

Il est cinq heures et demie du soir. Je suis seule à l'école. Je regarde le casier devant moi. Il y a beaucoup de photos et de lettres sur le casier. Il y a beaucoup de fleurs et de plantes par terre devant le casier.

Je suis devant le casier de mon amie. Pas seulement mon amie, mais ma meilleure amie. Je suis seule. Il n'y a personne à l'école. Je suis seule avec mes pensées.

Sans toi, Dominique, tout est différent. Sans toi je suis seule.

À l'école, mon casier est à côté de son casier. Sur mon casier il n'y a rien. Je regarde le casier de Dominique. Je regarde toutes les fleurs et les plantes devant son casier. Tout le monde à l'école pense beaucoup à Dominique. On met des fleurs et des plantes devant son casier. On met des lettres et des photos parce qu'on veut respecter Dominique.
La situation est triste. Tout est triste. Je suis triste.

Je marche vers quelques fleurs devant le casier. Je les regarde et à ce moment-là je vois quelque chose de bizarre. Je vois une fleur seule par terre. Cette fleur n'était pas là ce matin. Cette fleur n'est pas comme les autres devant son casier. Elle est rouge, mais il y a quelque chose d'attaché à la fleur. Je vois une photo. C'est une photo de Dominique attachée à la fleur. C'est un selfie. C'est un selfie d'elle dans la forêt il y a une semaine.

La photo me paralyse. Je n'aime pas le fait qu'elle ne soit pas là. Je n'aime pas qu'elle ait disparu. Je n'aime pas ne pas comprendre ce qui est arrivé à ma meilleure amie. Je n'aime pas voir les fleurs et les lettres pour Dominique partout. Je n'aime pas cette situation. Je n'aime pas ma vie sans ma meilleure amie. Je ne l'aime pas. Je ne l'aime pas du tout !

Alors, je cours. Je cours vers la porte pour quitter l'école. Je cours rapidement, sans respirer. Je cours sans penser. Je cours. J'arrive à la porte. Je panique ! Finalement, je respire. Je respire et je regarde son casier une dernière fois. Je vois la fleur. Je vois la photo d'elle dans la forêt.

Pourquoi la photo est-elle là ? Pourquoi une photo de Dominique dans la forêt ? Qui a mis la photo là ? Et, ce qui est encore plus important, pourquoi cette photo ?

Je regarde son casier en silence, je pense à Dominique et à une phrase qu'elle répète dans mon rêve. Elle répète la même phrase dans mon rêve. Depuis que Dominique a disparu je fais le même rêve nuit après nuit. C'est toujours le même rêve. C'est toujours la même phrase qu'elle répète.

- Alice nous devons parler, c'est important.

De quoi est-ce qu'elle veut parler ? Non, c'est seulement un rêve. Un rêve qui me hante.

À ce moment je cours vers son casier. Je prends la fleur avec la photo de Dominique. Pendant que je marche vers ma maison il y a du vent. Il y a du vent avec un bruit horrible. J'ai la fleur et la photo dans la main. La fleur s'envole dans le vent mais j'ai toujours la photo dans la main. Je marche rapidement vers ma maison en regardant la photo. J'entends seulement le vent. Le vent qui hurle comme les loups.

Chapitre 2

Des soucis

Il est six heures et demie du soir. Mon père est à la maison. Ce n'est pas normal. Il n'est jamais à la maison mais aujourd'hui il est là. J'habite avec mon père. Je n'ai ni frères ni sœurs. Ma mère est morte quand j'étais bébé. Quand mon père est à la maison, je panique. Je panique parce qu'il me pose toujours beaucoup de questions. Aujourd'hui, je veux être seule. Je vois mon père dans le salon. Je n'entre pas dans le salon. Mon père est au téléphone. J'écoute la conversation. Je me demande : Avec qui parle-t-il ?

- *Oui, tout est très difficile. Je travaille toute la journée. Je travaille tous les jours. Je n'ai de temps pour rien.*

Je pense en moi-même : *C'est vrai ! Tu n'as de temps pour rien et tu n'as surtout pas de temps pour moi.*

- *Alice ? C'est plus difficile. Elle n'est pas souvent à la maison. Elle est à l'école tous les jours. Et quand elle est à la maison, elle est dans sa chambre.*

Elle ne dit rien. Elle ne me parle jamais.

Qui ne parle pas ? Moi ? Avec qui est-ce que tu veux que je parle ? Avec toi ?

- Non, je n'ai pas téléphoné à un thérapeute.

Un thérapeute ? Vraiment ? Je n'ai pas besoin d'un thérapeute. J'ai besoin de ma meilleure amie !

- Il y a un thérapeute à l'école, peut-être que je peux lui téléphoner. Je sais que je ne peux pas parler avec elle. Je ne sais pas comment faire. Je suis son père, mais elle ne veut pas me parler de ses problèmes. Elle ne m'écoute pas. Elle ne m'écoute jamais.

Vraiment ? Je ne peux pas te parler parce que tu n'es jamais à la maison. Tu travailles toujours !

- Oui, elle est jeune. Alice a seulement quinze ans. Elle n'a ni sœurs ni frères avec qui parler. Pauvre Alice, elle n'a pas de mère. Maintenant sa meilleure amie n'est plus là. Je ne sais pas quoi faire.

Tu ne sais pas quoi faire ! Je ne sais pas quoi faire !

- Elle ne doit pas rester seule. Oui, je comprends. Je ne sais pas quoi faire mais je dois travailler. Il y a une jeune fille a disparu !

Si, je peux rester seule ! Je suis presque adulte ! J'ai quinze ans. Je suis seule la plupart du temps quand tu travailles !

- Oui, c'est une décision importante, mais trouver Dominique est le plus important maintenant.

Trouver ma meilleure amie est important. C'est le plus important !

Chapitre 3

La peur

Il est huit heures du soir et mon père n'est pas à la maison. C'est normal. Tout est différent sans Dominique mais mon père n'est pas à la maison, ce qui n'est pas différent. Je suis seule. Mon père travaille toujours. Et moi, je suis toujours seule depuis la disparition de Dominique. Je marche dans la cuisine et il y a une note sur la table. C'est une note de mon père.

Alice,
Je travaille tard aujourd'hui. Tu dois promener le chien.
Il y a une pizza dans le frigo pour le dîner.
Téléphone-moi s'il y a un problème !

À plus tard,
Papa

Quoi ? Je dois promener le chien ? Dans l'obscurité ? Je suis seule, je ne veux pas. J'ai peur! J'ai peur de l'obscurité ! Mais si je ne promène pas le chien, il va faire pipi dans la maison. J'y vais ou je n'y vais pas ?

Ma maison est entourée par une forêt. Elle est entourée d'arbres. Il y a beaucoup d'arbres. Il y a beaucoup de petits arbres et il y a beaucoup de grands arbres. J'habite en Louisiane, à la Nouvelle Orléans.

Je ne veux pas aller seule dans l'obscurité. Je n'y vais pas. Je ne suis pas courageuse. J'ai peur. J'ai peur du noir. Je n'aime pas l'obscurité ! C'est normal d'avoir peur du noir ! Surtout ici en Louisiane. Surtout si on connaît la légende du loup-garou ! Si tu grandis en Louisiane, tu connais la légende du loup-garou. Tous ceux qui habitent ici connaissent la légende du loup-garou !

Chapitre 4

Dans la forêt

Il est huit heures et demie du soir. Je vais dehors parce que le chien fait presque pipi dans la maison. Je marche seule dans l'obscurité avec Max. Max est le chien de mon père. J'ai la laisse de son chien dans la main. Je pense à Dominique. Au passé, avant qu'elle n'ait disparu. Nous avons passé beaucoup de temps ensemble. Je n'ai pas promené le chien seule. Dominique était avec moi. Ce soir elle n'est pas là. Je marche vers les arbres dans la forêt. Je marche lentement et je pense à Dominique. Elle n'avait peur de rien. Elle n'avait pas peur de l'obscurité comme moi !

Dominique, pourquoi je ne suis pas comme toi ? Tu es... courageuse et forte ! Je ne suis ni forte ni courageuse.

Je continue à marcher lentement dans la forêt. Tout est noir et silencieux. Mais je ne suis pas calme. J'ai peur. Je marche sans regarder autour de moi. Je marche sans regarder les arbres. Je regarde seulement Max. Je ne veux pas savoir s'il y a quelqu'un ou quelque chose dans la forêt avec moi. J'ai peur !

Je pense au loup-garou. Tout à coup, j'entends un grand bruit au loin. J'entends un autre bruit. Et un autre.

Je regarde Max et il s'arrête immédiatement. Je sais qu'il entend aussi le bruit. Je pense qu'il a peur. Je sais que j'ai peur. Max regarde dans la direction du bruit et je suis paralysée par la peur. À ce moment-là je pense au jour où Dominique a disparu.

Pourquoi elle est allée seule dans la forêt ce jour-là ? Il y avait une raison. Je vais découvrir la vérité.

Je regarde Max et je fais demi-tour. Je marche en direction de la maison. Je cours. Je cours plus vite que jamais vers ma maison. Je cours sans regarder autour de moi. Je ne pense pas. Je ne peux pas respirer. Je cours rapidement et Max court rapidement devant moi.

J'ouvre la porte et j'entre dans la maison. Max entre aussi. Je ferme la porte aussi rapidement que possible et finalement je peux respirer… Ouf !!!

Seulement maintenant je pense encore une fois à la légende... Je pense au loup-garou... et à Dominique qui a disparu sans laisser de trace il y a une semaine.

Chapitre 5

La légende du loup-garou

La légende du loup-garou est bien connue en Louisiane. Tout le monde connaît cette légende. Quelques personnes pensent que le loup-garou existe et d'autres pensent qu'il n'existe pas.

Moi ? Je ne sais pas si le loup-garou existe. Est-ce que le loup-garou habite dans la forêt? Dans la forêt derrière ma maison ?

Quand j'étais petite fille, mon père m'a raconté la légende du loup-garou. Selon la légende, il y a un humain qui peut se transformer en loup. Mais cet humain peut seulement se transformer en loup pendant les nuits de pleine lune. Selon la légende, le loup-garou a un corps d'humain et une tête de loup. Le loup-garou marche dans la forêt et dans les marais. Le loup-garou est très dangereux et peut tuer les personnes et les animaux. Si le loup-garou attaque une autre personne, cette personne deviendra aussi loup-garou.

La nuit où Dominique a disparu, il y avait une pleine lune... C'était vendredi 13… Dominique est allée dans la forêt, mais elle n'est pas revenue.

Le temps passe... Le temps ne passe pas rapidement. Le temps passe lentement. Depuis la disparition de Dominique tout passe lentement, les jours, les heures, les minutes… et les secondes…

Chapitre 6

Un rêve inoubliable

Il est dix heures du soir. Il n'y a personne dans la maison, sauf moi. Mon père travaille. Je n'entends rien. Il y a un grand silence dans la maison. Et tout à coup, j'entends *dring-dring*, c'est mon portable. Ça me fait peur. Je le regarde et je vois -- ***poste de police.*** Je réponds.

- Allô papa.

- Allô Alice. Comment ça va ?

- Ça va.

- Tu as mangé de la pizza pour le dîner ?

- Oui, j'ai mangé un peu de pizza.

En réalité je n'ai pas mangé. Je n'avais pas faim. Depuis la disparition, je ne mange pas beaucoup.

- Tu as promené le chien pour moi ?

- Oui.

Si tu ne travaillais pas autant, tu pourrais promener ton chien dans l'obscurité.

- O.K. alors n'oublie pas de fermer la porte à clé ce soir. Tu m'entends ?

Je ne lui réponds pas immédiatement.

- Alice ?? Tu es là ? Tu m'entends ??

- Oui. Je t'entends. Au revoir.

Mon père est détective. Il me téléphone tout le temps quand il travaille tard. La semaine dernière, il a commencé à me téléphoner de plus en plus. Après que Dominique a disparu, il a commencé à travailler plus. Maintenant, il travaille plus sur l'investigation de sa disparition. Je ne sais pas s'il travaille de plus en plus parce qu'elle était ma meilleure amie ou parce qu'elle est la première jeune fille qui a disparu dans notre ville. Mais si quelqu'un peut trouver Dominique, c'est mon père. C'est un bon détective. C'est le meilleur détective à la Nouvelle Orléans.

Tout le monde continue à chercher Dominique. Il y a beaucoup de personnes qui la cherchent. Ils la cherchent le matin. Ils la cherchent l'après-midi. Ils la cherchent le soir. Ils n'arrêtent pas de la chercher.

Il est onze heures et je suis fatiguée. J'entre dans ma chambre. Je marche vers mon lit quand je vois la photo de Dominique que j'ai trouvée à l'école aujourd'hui.

Qui a mis cette photo devant son casier ?

J'essaie de dormir mais je ne peux pas. Je ne peux pas parce qu'il y a beaucoup de bruit dehors. Il y a un vent horrible. J'entends seulement le vent. Le vent qui hurle comme des loups. Je laisse aller mon imagination.

Quelle heure est-il ?

Je regarde l'heure. Il est minuit. Il y a

un silence complet dans la maison, mais Je peux entendre « *tic-tac* » « *tic-tac* ». J'ai peur. Le silence amplifie tous les bruits normaux de la nuit dans mon imagination. Je pense au dernier jour où j'ai vu Dominique.

Chapitre 7

La disparition

Il y a une semaine. C'est vendredi, le 13 octobre. Dominique et moi sommes à l'école. Comme d'habitude, nous sommes ensemble en classe. Nous avons les mêmes cours à l'école. Pendant le déjeuner Dominique me dit :

- Alice nous devons parler. C'est important !

- O.K. De quoi est-ce que tu veux parler ?

- L'autre nuit j'ai vu un loup-garou. Ce n'est pas une légende ! Le loup-garou existe !

- Quoi ? Le loup-garou ? C'est juste une légende, Dominique. Le loup-garou n'existe pas.

- Alice, je comprends et je sais que tout le monde dit que c'est seulement une légende, mais il y avait quelqu'un ou quelque chose qui marchait dans la forêt près de ma

maison et qui ressemblait à un loup-garou.

- Je pense que c'était seulement un animal. Pas un loup-garou. Je ne pense pas que le loup-garou existe, Dominique. Nos parents nous racontent la légende du loup-garou juste pour nous faire peur. Nos parents ne veulent pas que nous marchions seules dans la forêt la nuit. C’est dangereux !

Dominique ne me répond pas immédiatement. Elle pense en silence. Elle a une expression bizarre. Elle a l’air inquiet. Elle ne m’a plus parlé du loup-garou.

Après l’école, Dominique marche en direction de sa maison. Je marche avec Dominique. Nous rentrons tout le temps ensemble de l’école. Nous devons marcher dans la forêt pour revenir chez nous. Ce jour-là, Dominique ne parle pas autant que d'habitude. Elle marche en silence, mais elle marche plus rapidement que d'habitude. Je lui dis : - Dominique pourquoi marches-tu si rapidement ?

Elle me regarde, mais continue à marcher.

Je crie :

- Dominique arrête ! Tu dois m'expliquer pourquoi tu as l'air inquiet aujourd'hui. Je ne comprends pas.

Finalement, elle arrête de marcher. Elle commence à m'expliquer.

- Je ne peux pas l'expliquer. Je ne sais pas pourquoi mais j'entends des

bruits. J'entends beaucoup de bruits la nuit, Alice.

- Je ne comprends pas. C'est quoi ce bruit ?

- J'entends un hurlement. Je pense que c'est le hurlement d'un animal. La nuit quand j'entends des bruits, je n'arrive pas à dormir.

Je vois bien qu'elle est nerveuse. Elle a l'air inquiet. Je ne sais pas quoi dire, mais je sais que je dois la rassurer que tout va bien.

- Ne t'inquiète pas, Dominique. Je suis sûre que tu entends les bruits d'un chien dans la forêt. Il y a beaucoup de chiens autour de la forêt. J'entends souvent des chiens la nuit.

Elle me regarde un moment. Elle ne me répond pas. Nous continuons à marcher. Nous marchons en silence jusqu'à ce que nous arrivions à nos maisons.

La dernière chose que je lui dis ce jour-là :

- Dominique, téléphone-moi ce
soir après le dîner et nous pouvons continuer à en parler !

Dominique ne me téléphone pas cette nuit-là. Le lendemain mon père me dit qu'elle a disparu et que la police et la communauté la cherchent. Il me pose beaucoup de questions au sujet de mon dernier jour avec Dominique. Il me pose beaucoup de questions au sujet de ma dernière conversation avec Dominique. Je lui explique tout.

Dominique, où es-tu…? Pourquoi tu ne m'as pas téléphoné ?

Chapitre 8

Un coup de téléphone pendant la nuit

Il est une heure du matin quand je regarde l'heure. Je n'arrive pas à dormir. Je regarde par la fenêtre de ma chambre. Je vois la lune. La lune brille fortement dans le ciel. À ce moment-là, j'entends *dring-dring*, c'est mon portable. Ça me fait peur. Je le regarde et sur mon portable je vois --***Dominique.***

Dominique ? C'est possible ? C'est possible que Dominique me téléphone ?

J'ai mon portable dans la main. Ma main tremble. Je suis paralysée par la peur.

C'est Dominique, pourquoi j'ai peur ? C'est ma meilleure amie. Je n'ai pas peur de ma meilleure amie...

Je regarde mon portable et lentement je réponds : - Allô ? Personne ne répond. Je répète - Allô, Dominique ? Allô ? Tu es là ? C'est toi ?

Personne ne répond. Je ne peux pas respirer. Ma main tremble. Tout à coup, j'entends un hurlement. C'est un bruit pas comme les autres. Ça me fait peur. Silence... Il n'y a personne sur l'autre ligne. Il n'y a plus personne sur l'autre ligne… Je n'entends rien. Seulement le silence.

À ce moment-là, il y a un bruit au loin. C'est une porte qui s'ouvre. Et après, la porte claque ! *Vlan* ! La peur me paralyse. Je ne peux pas respirer. J'entends des bruits de pas. Les bruits de pas sont devant la porte de ma chambre. Je ferme les yeux. Je ne peux pas respirer. Mes mains tremblent et j'entends une voix. C'est la voix de mon père.

- *Alice ? Tu dors ?*

J'ouvre lentement les yeux et je vois mon père à côté de mon lit.

- Papa ? Papa ? C'est toi ? Oh non, je ne dors pas. Je ne peux pas dormir. Dominique m'a téléphoné.

- Hein ? Alice pourquoi tu ne m'as pas téléphoné ?

- J'avais peur. Je ne pouvais pas respirer, Papa. Et quelques minutes après, tu étais dans ma chambre.

- Qu'est-ce qu'elle a dit ? Qu'est-ce qui s'est passé ?

- … Rien…

- Rien ? Je ne comprends pas.

- J'étais dans mon lit et je ne pouvais pas dormir quand j'ai entendu *dring-dring*, c'était mon portable. Ça m'a fait peur. Je l'ai regardé et j'ai vu --***Dominique*** sur mon portable. Quand j'ai répondu il n'y avait personne sur l'autre ligne.

- Tu n'as pas parlé à Dominique ? Il n'y avait personne sur l'autre ligne ?

mon père m'a demandé d'une voix sérieuse.

- Non il n'y avait personne sur l'autre ligne. J'ai juste entendu le hurlement d'un animal. C'était bizarre.

- Un hurlement ? O.K. Alice, j'ai besoin de ton portable. Je dois aller au poste de police avec cette information. C'est important.

Tu veux mon portable. Et si Dominique essaie de me téléphoner encore une fois ?

- Non Papa. J'ai besoin de mon portable.

- Je comprends que tu sois inquiète, Alice, mais ton portable peut nous aider à retrouver Dominique. C'est important !

Je ne dis rien. Je lui donne mon portable. Il le prend et il quitte ma chambre en silence…

Dominique, qu'est-ce qui se passe ?

Chapitre 9

Son retour

Il est sept heures du matin. J'ai fait le même rêve. C'est toujours le même rêve depuis que Dominique a disparu sans laisser de trace… Elle répète la même phrase.

- Alice nous devons parler, c'est important.

De quoi est-ce qu'elle veut parler ? Les mots me hantent. Le rêve me hante.

Je ne peux pas rester chez moi. Je dois parler à mon père. Je dois l'aider à retrouver Dominique. Je vais au poste de police. Quand j'entre dans le poste de police, tout le monde est paniqué. Tout le monde parle et à ce moment-là, j'entends la voix de mon père. Je vois

POLICE

un policier qui court vers la porte du poste. Je vois un autre policier qui a l'air inquiet. Il regarde la porte pendant qu'il parle au téléphone.

Il y a une panique au poste de police. Plus de personnes courent vers la porte quand j'entre. Au loin, je vois mon père avec une autre personne. Il parle à un autre détective. Mon père a l'air sérieux et l'autre détective a l'air paniqué. Ils parlent rapidement, mais je n'arrive pas à comprendre la conversation. J'essaie d'écouter. J'entends un peu. Je comprends seulement… *Oui… elle est... sa maison… Oui… ce matin… Non… pas maintenant...*

À ce moment je comprends tout. Dominique est rentrée ! Je cours vers mon père. Il ne me regarde pas immédiatement. Finalement, quand je m'approche de lui, il me voit. Il me regarde avec une expression très perplexe et me dit :

- *Alice ! Qu'est-ce que tu fais ici ? Ça va ?*

- Papa. Où est-elle ? Dominique ? Elle est en danger ? Papa ! Dis-moi !

- *Alice... Calme-toi... Je peux tout t'expliquer. Dominique n'est pas en danger. Elle est chez elle. Elle est revenue !*

- Chez elle ? Je ne comprends pas ? Quand est-ce qu'elle est revenue?

À ce moment-là, je suis paniquée. Je ne peux pas respirer. J'ai beaucoup d'émotions. La situation me laisse perplexe. Je suis contente que ma meilleure amie soit revenue. Je suis nerveuse. Je regarde mon père et je commence à pleurer. Mon père met la main sur ma tête et il commence à marcher. Il marche dans son bureau. Je marche derrière lui.

- Alice... Il y a encore beaucoup de questions. Il y a encore beaucoup de choses que je ne comprends pas. Sa mère m'a téléphoné tôt ce matin et elle m'a expliqué que Dominique était dans sa chambre et qu'elle dormait. Elle n'est pas en danger.

Je ne dis rien. Je pense à Dominique.

Elle était dans sa chambre ? Elle dormait ? Dominique, qu'est-ce qui s'est passé ? Où étais-tu pendant une semaine ?

Chapitre 10

Une visite importante

Alors quelques minutes plus tard, je cours. Je cours vers la porte pour quitter le poste de police. Je cours rapidement, sans respirer. Je cours, mais la seule chose à laquelle je pense, c'est Dominique. Je dois lui parler. Je dois comprendre pourquoi elle a disparu sans laisser de trace. Je dois découvrir la vérité.

J'arrive chez elle. Je panique ! Finalement, je respire. Je respire et je frappe à la porte. La porte s'ouvre et je vois sa mère. Quelques minutes plus tard, je suis dans la chambre de Dominique.

Pourquoi as-tu disparu ? Où étais-tu ?

Je regarde Dominique en silence. Elle me regarde. Elle me regarde sans expression. Je veux l'embrasser, mais je regarde ses mains et ses bras. Je vois quelque chose de bizarre. Je vois des blessures… beaucoup de blessures. Elle a l'air très fatigué. Elle a l'air malade

Dominique, qu'est-ce qui s'est passé ? Pourquoi tu as des blessures ?

À ce moment-là, je comprends qu'il y a beaucoup de choses que je ne sais pas au sujet de ma meilleure amie.

Elle ne me regarde pas. Elle est sur son lit et elle regarde par la fenêtre en silence. Finalement, elle dit :

- Alice nous devons parler, c'est important.

Oh non. Les mots qui me hantent… Je comprends maintenant ce qui s'est passé… Je sais exactement ce qu'elle va dire…

Elle me regarde et me dit :

- Il existe. Le loup-garou n'est pas juste une légende. Le loup-garou existe...

Glossaire

A

a - has
à cote de - next to
adulte - adult
ai - I have
aider - to help
aime - I like
air - appearance
  a l'air - s/he seems, **tu as l'air** - you seem
ait - has
allée - (she) went
aller - to go
allo - hello
alors - so
amie - friend (female)
amplifie- amplifies
animal - animal
animaux - animals
ans - years
après - after
après-midi - afternoon
arbres - trees
arrête - s/he stops (stop)
arrêtent - they stop
arrivé - happened
arrive - (I) arrive, s/he arrives
arrivions - (we) arrive
as - (you) have
attaché - attached

attaque - s/he attacks
au - to the / at the / in the / on the
aujourd'hui - today
au revoir - goodbye
aussi - also
au sujet de - about
autant - as much
autour - around
autre(s) - other(s)
avais - (I) had
avait - (s/he) had
avant - before
avec - with
avoir - to have
avons - (we) have

B

beaucoup - a lot
besoin - need
bien - well
bizarre - strange
blessures - wounds
bon - good
bras - arms
brille - shines
bruit(s) - noise(s)
bureau - office

C

ça - that
calme-toi - calm down
casier - locker
cauchemar - nighmare
ce - this
  ce qui - what

cet(te) - this
ceux - those
chambre - bedroom
cherchent- (they) look for
chercher - to look for
chez - at /to the house of
chien(s) - dog(s)
chose(s) - thing(s)
ciel - sky
cinq- five
claque - slams
classe - class
comme - like
commencé - started
commence - (I) start / (s/he) starts
comment - how
communauté - community
complet - complete
comprendre - to understand
comprends - (I) understand
connais - (I) know
connaît - (s/he) knows
connaissent - (they) know
connue - known
contente - happy
continue - (I) continue / (s/he) continues
continuer - to continue
continuons - (we) continue
conversation - conversation

corps - body
coup de téléphone - phone call
courageuse - courageous
courent - (they) run
cours - (I) run
court - (s/he) runs
crie - (I) yell
cuisine - kitchen

D

danger - danger
dangereux - dangerous
dans - in
de- of / about
décision - decision
découvrir - to discover
dehors - outside
déjeuner - lunch
demandé - (s/he) asked
(me) demande - (I) wonder
demie - half
demi-tour - half turn
depuis - since
dernier - last
dernière - last
derrière - behind
des - some / any
détective - detective
devant - in front of
deviendra -(s/he) will become
devons - (we) have
différent - different
difficile - difficult

dîner - dinner
dire - to say
direction - direction
dis - (I) say
disparition - disappearance
disparu - disappeared
dit - (s/he) says
dite - said
dix - ten
dois - (I) have to / must
donne - (I) give
dormait - (s/he) was sleeping
dormir - to sleep
dors - (I) sleep
dring - ring
du - of the / some
du soir - at night
du tout - at all

E

écoute - (I) listen / (s/he) listens
elle - she
embrasser - to hug
en - in / it / while
encore - still / yet
encore une fois - again
ensemble - together
entend - (s/he) hears
entendre - to hear
entends - (I) hear / (you) hear
entendu - heard
entourée - surrounded
entre - (I) enter / (s/he) enters

es - (you) are
essaie de /d'- (I) try / (s/he) tries
est - is
et - and
étais - (I) was / (you) were
était - was
être - to be
exactement - exactly
existe - (s/he) exists
expliqué - explained
explique - (I) explain
expliquer - to explain
expression - expression

F

faim - hunger
faire - to do /make
fais - (I) do / (you) are doing
fais demi-tour - (I) turn around
(a) fait le même rêve - had the same dream
fait peur - scares / frightens
fatigué(e) - tired
fenêtre - window
ferme - (I) close
fermer la porte à clé - to lock the door
fille - girl
finalement - finally

fleur(s) - flower(s)
fois - time
forêt - forest
forte - strong
fortement - strongly
frères - brothers
frappe - (I) knock
frigo - fridge

G

grand(s) - big
grandis- to do /make

H

habite- hunger
habitent - (they) live
habitude - usual
hante - haunts
hantent - (they) haunt
hein - what
heure - time / o'clock
heures - o'clock
horrible - horrible
huit - eight
humain - human
hurle - howls
hurlement - howling

I

ici - here
il - he
ils - they
il y a - there is/are
il y a une semaine - a week ago

imagination - imagination
immédiatement - immediately
important(e) - important
information - information
inquiète- worry
inquiet - worry
investigation - investigation

J

jamais - never
je - I
je m'approche - I approach
jeune - young
jour(s) - day(s)
journée - day
jusqu'à - until
juste - just

L

l'- the
la- the/her
là - there
laisse -leash
laisse - (I) leave
laisser - leaving
laquelle - which
le - the / it
l'école - school
légende - legend
lendemain - next day
lentement - slowly
les - the / them
lettres- letters
ligne - telephone line
lit - bed

(au) loin - in the distance
louisiane - Louisiana
loup-garou - werewolf /werewoman
loups - wolves
lui - to him / to her / him
lune - moon

M

m'- to me
ma - my
main(s) - hand(s)
maintenant - now
mais - but
maison(s) - house(s)
malade - sick
mangé - ate
marais - marshes / swamps
marchait - (s/he) was walking
marche - (I) walk / (s/he) walks
marcher - to walk
marches - (you) walk
marchions - (we) were walking
marchons - (we) walk
matin - morning
me - me / to me
meilleur(e) - best
mes - my
met - (s/he) puts
minuit - midnight
minutes - minutes
mis - put
moi - me
moi-même - myself

moment - moment
mon - my
(est) morte - died
mots - words

N

ne (n')... pas - not / doesn't
ne.....plus - no longer
nerveuse - nervous
ne t'inquiète pas - don't worry
ni ... ni - neither ... nor
noir - black
non- no
normal - normal
normaux - normal
nos - our
note - note
notre - our
n'oublie pas - don't forget
nous - we /our
Nouvelle-Orléans - New Orleans
nuit(s) - night(s)
obscurité - dark
on - someone / somebody / we
onze - eleven
ou - or
où - where
ouf - phew
oui - yes
ouvre - (I) open

P

paniqué- panicked
panique - (I) panic / panic
papa - dad
par -by

par terre - on the floor
paralysée - paralyzed
paralyse - paralyzes
parce que (qu') - because
parents - parents
parlé - talked
parle - (I) talk / (s/he) talks
parlent - (they) talk
parler - to talk
partout - everywhere
pas - footsteps
passe - goes / passes
pauvre - poor
pendant - during / for
pendant que - while
pense - (I) think / (s/he) thinks
pensées - thoughts
pensent - (they) think
penser - to think
perplexe - confused
personne - person / no one
personnes - people
petite - small / little
petits -small / little
(un) peu - a little
peur - fear
peut - (s/he) can
peux - (I) can
photo(s) - photo(s)

phrase - sentence / phrase
pipi - pee
pizza - pizza
plantes - plants
pleine - full
pleurer - to cry
plupart - most
plus - more / no longer
police - police
policier - police officer
portable - cellphone
porte - door
pose -(s/he) asks
possible - possible
poste de police - police station
pour - for
pourquoi - why
pourrais - (you) would be able
pouvais - (I) could
pouvons - (we) can
près - near
première - first
prend - (he) takes
prends - (I) take
presque - almost
problème - problem
promène - (I) walk
promené - walked
promener - to walk

Q

qu'elle - that she
qu'il - that he
quand - when
que - that / than
quelle - what
quelque(s) - some

quelqu' - some
question(s) - question(s)
qu'est-ce qui - what
qui - who
quinze - fifteen
quitte - (s/he) leaves
quitter - to leave
quoi - what

R

raconté - told
racontent - (they) tell
raison - reason
rapidement - quickly
rassurer - to reassure
réalité - reality
regardé - looked at
regardant - looking at
regarde - (I) look / (s/he) looks
regarder - looking
rentrée -came back
rentrons - (we) go back
répond - (s/he) responds
réponds - (I) respond / (you) respond
répondu - responded
respecter - to respect
respire - (I) breathe

respirer - to breathe
ressemblait - resembled
rester - to stay
retrouver - to find
rêve - dream
revenir - to return / come back
revenue - came back
rien - nothing / anything
rouge – red

S

s'arrête - stops himself
s'envole – flies away
s'est passé – happened
s'est posé - asked oneself**sa** - his / her
sais - (I) know / (you) know
salon - living room
sans - without
sauf - except
savoir - to know
se -oneself
secondes - seconds
selfie - selfie
selon - according to
semaine - week
sept - seven
sérieuse - serious
sérieux - serious
ses - his / her
seule(s) - alone
seulement - only
si - if
s'il - if he

silence - silence
silencieux -
s'il y a - if there is / are
situation - situation
six - six
sœurs - sisters
soir - evening / night
sois - (you) are
soit revenue - (s/he) returned
sommes - (we) are
son - his / her
sont - (they) are
souvent - often
s'ouvre - opens
suis - (I) am
sur- on
surtout - especially

T

t' - you, to you
table - table
tard - late
te - you / to you
téléphone - (s/he) calls
téléphone-moi - call me
téléphoné - called
téléphoner - to call
thérapeute - therapist
tic-tac - tic-toc
toi - you
ton - your
toujours - always
tous les bruits - all the noises
tous les jours - everyday
tout - all

tout le monde - everyone
tout le temps - all the time
toute(s) - all
trace - trace
(se) transformer - to transform
travaillais - (you) were working
travaille - (I) work / (s/he) works
travailler - to work
travailles - (you) work
tremble - trembles / is trembling
tremblent -(they) are trembling
très - very
triste - sad
trouvée - found
trouver - to find
tu - you
tuer - to kill

U

un- a / an
une - a / an

V

va - (s/he) goes
vais - (I) go
vendredi - friday
vent - wind
vérité - truth
vers - towards
veulent - (they) want
veut - (s/he) wants
veux - (I) want/ (you) want
ville - city
vite - quickly
vlan - wham

voir - to see
vois - (I) see
voit - (s/he) sees
voix- voice
vrai - true
vraiment - really
vu - saw

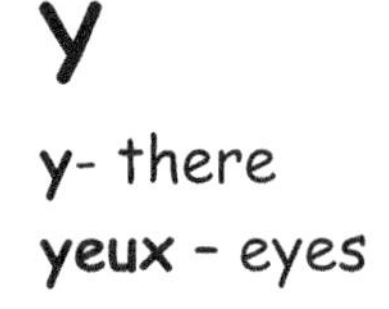

y- there
yeux - eyes

ABOUT THE AUTHOR

Theresa Marrama is a French teacher in Northern New York. She has been teaching French to middle and high school students for 11 years. She has translated a variety of Spanish comprehensive readers into French and is also a published author of the book "Une Obsession dangereuse", which can be found on www.fluencymatters.com. Theresa enjoys teaching with Comprehensible Input and writing comprehensible stories for language learners.

Her books: (Available on Amazon)

Una desaparicíon misteriosa

L'île au trésor: Première partie : La malédiction d'une île

La ofrenda de Sofía